nivel **A2-B1** audiolibro **colección marca es**

Los jóvenes españoles

difusión

COLECCIÓN MARCA ESPAÑA

Autora: Noemí Cámara
Coordinación editorial: Emilia Conejo, Paco Riera
Supervisión pedagógica: Cecilia Bembibre
Glosario y actividades: Cecilia Bembibre, Stephanie Borst, Rachel Racknico
Diseño y maquetación: Lucila Bembibre
Corrección: Esther Gutiérrez
Fotografía de cubierta: Image Source
Fotografías: Antena 3, catwalker / Shutterstock.com, Ediciones Glénat S.L., Edicions 62, Españoles en el mundo New Atlantis, Joe Seer / Shutterstock.com, Kamira / Shutterstock.com, Lili Bonmatí, matthi / Shutterstock.com, Natursports / Shutterstock.com, Neale Cousland / Shutterstock.com, Pabkov / Shutterstock.com, Pedro Rufo / Shutterstock.com, Peter Scholz / Shutterstock.com, Ritu Manoj Jethani / Shutterstock.com, Stuart Monk / Shutterstock.com, Toni Sanchez Poy / Shutterstock.com
Vídeo: Adrián Sack, Stuart McInnes
Locución: Bruna Cusí

© Difusión, Centro de Investigación y Publicaciones de Idiomas, S.L., 2012
ISBN: 978-84-8443-862-5
Depósito legal: B 19245-2012
Reimpresión: junio 2017
Impreso en España por Imprenta Mundo

difusión

C/ Trafalgar, 10, entlo. 1ª
08010 Barcelona
Tel. (+34) 93 268 03 00
Fax (+34) 93 310 33 40
editorial@difusion.com

www.difusion.com

Los jóvenes
españoles

Índice

Amigos en una plaza española

Marca España
Los jóvenes españoles

«*Los jóvenes españoles son idealistas,
generosos y creativos*»

Luis Rojas Marcos

Cómo trabajar con este libro

Marca España es una serie de lecturas sobre temas de la cultura, la economía y la sociedad española. Cada libro aporta un panorama general sobre el tema en cuestión, que incluye su historia y la situación actual, y se acompaña de un vídeo que ilustra una o varias de las secciones analizadas en el libro.

Para facilitar la lectura, al principio del libro aparece una introducción con un breve repaso de los temas que se van a desarrollar en el mismo. Además, al final de cada página se incluye un glosario en español de las palabras y expresiones más difíciles, y al final del libro, un glosario de todas ellas traducidas al inglés, francés y alemán.

A lo largo del texto se han marcado en color verde algunas palabras y expresiones que hacen referencia a aspectos culturales del mundo del español. Estas se recogen y se explican en la sección de notas culturales que aparece al final del libro.

El libro termina con una sección de actividades que tiene la siguiente estructura:

a) «Antes de leer». **Recomendamos realizar las actividades de esta sección antes de empezar a leer el texto**, ya que ayudarán a activar los conocimientos que tiene el lector sobre el tema y facilitarán la comprensión.

b) «Durante la lectura». Son **actividades destinadas a pautar la comprensión** de los diferentes capítulos.

c) «Después de leer». Se trata de propuestas variadas que **permiten poner en práctica la comprensión auditiva y de lectura, la expresión oral y escrita, la interacción oral y escrita y la mediación.** Tienen un carácter predominantemente abierto para que el propio lector (o el profesor que lee el libro con sus alumnos) pueda decidir cómo trabajar con ellas según sus necesidades. En muchas de ellas se propone un repaso al contenido del libro. En cada caso, **el lector puede decidir si vuelve a leer el fragmento en cuestión o prefiere escuchar la grabación del CD correspondiente.**

Igualmente, puede decidir si hace las actividades por escrito o de forma oral, en interacción con otros hablantes.

d) «Vídeo». Esta sección contiene **propuestas para trabajar la comprensión audiovisual con el vídeo** que está incluido en el CD.

e) «Léxico». Actividades para **la sistematización, la profundización y la ampliación del vocabulario.** Se tiene en cuenta que cada hablante tiene unos intereses y un bagaje personal específicos. Por eso se proponen especialmente actividades de carácter abierto y que favorecen el aprendizaje estratégico.

f) Por último, la sección «Internet» propone **páginas web interesantes** para seguir investigando.

pista 01

Introducción

L a primera década del siglo XXI fue muy importante para las nuevas generaciones de jóvenes españoles. Los chicos de entre 16 y 30 años experimentaron muchos y grandes cambios sociales, tecnológicos y políticos en relativamente poco tiempo. Estos cambios tuvieron un impacto muy importante en la vida de los jóvenes, su visión[1] sobre la realidad y sus planes para el futuro.

A finales de los años 90 y principios de los 2000, España pasaba por un buen momento de crecimiento económico. Se construían muchos nuevos edificios y se vendían muchas casas, y esto parecía ser favorable para la economía. Por primera vez en mucho tiempo, mucha gente podía comprar una casa. Los niveles de desempleo eran más bajos que nunca. Las cosas iban bien, y los jóvenes eran los principales beneficiarios[2] de esta buena situación.

Pero la burbuja económica[3] explotó en 2008 y el país entró en crisis. La generación de jóvenes que parecía tener un futuro brillante por delante, de repente no veía las cosas tan claras. Pronto salieron en la prensa noticias sobre la «problemática[4] joven»: de

---

[1]**visión:** forma de ver [2]**beneficiario:** persona que experimenta una situación favorable [3]**burbuja económica:** subida excesiva de precios por especulación [4]**problemática:** conjunto de problemas

repente en el país había miles y miles de jóvenes con estudios que buscaban empleo[5], y no se creaban suficientes puestos de trabajo. Nació la generación de los *mileuristas*, de los contratos basura[6], de Parobook (una red social de internet[7] para desempleados) y de las protestas multitudinarias[8] contra el gobierno. Un gobierno que, según los jóvenes, no había hecho nada para ofrecerles perspectivas de futuro.

Sin embargo, los jóvenes también estaban experimentando una de las décadas más creativas en el campo de la tecnología. De los mensajes de texto se pasó a las redes sociales. De pronto Facebook, Tuenti, Twitter y todo tipo de foros digitales se convirtieron en los nuevos canales de comunicación entre los jóvenes y, más tarde, en las herramientas más poderosas de toda una generación.

Los chicos intercambiaban información personal, música, fotografías, películas -de forma legal o ilegal-, y quedaban[9] dentro y fuera de las redes sociales de internet.

A pesar de vivir tiempos difíciles, las nuevas generaciones de españoles estaban entre las más felices del mundo. Socializaban y se divertían. Y lo más importante: estaban aprendiendo el valor de sus nuevas herramientas de comunicación.

Poco a poco, la crisis económica de 2008 empezó a tener un impacto negativo sobre la calidad de vida de los jóvenes. El gobierno recortó[10] los presupuestos[11] del sector de la educación. Al mismo tiempo, la universidad se volvió más cara. Y el desempleo crecía día a día. Los jóvenes respondieron con protestas pacíficas. Pedían una educación más barata y más oportunidades de trabajo.

Después de meses de protestas por los recortes en la educación, los jóvenes se organizaron para pedir un cambio general, tanto

---

[5] **empleo:** trabajo [6] **contrato basura:** condiciones de trabajo muy malas; generalmente son jornadas largas con sueldos bajos [7] **red social de internet:** página donde los usuarios crean un perfil y se comunican [8] **multitudinario:** con mucha gente [9] **quedar:** (aquí) encontrarse [10] **recortar:** (aquí) reducir, achicar [11] **presupuesto:** cantidad de dinero destinada a un objetivo concreto

político como económico. Estaban cansados de la mala gestión[12] del gobierno y de vivir con miedo al futuro. Estaban indignados[13].

Como parte de un movimiento nacional que se llamó 15-M, se manifestaron[14]: salieron a las calles, acamparon[15] en los centros de las ciudades, ocuparon las redes sociales de internet y los titulares de los periódicos nacionales e internacionales. Consiguieron[16] la comprensión del resto de los ciudadanos y el apoyo internacional de la prensa y de otros jóvenes europeos que, como ellos, estaban sufriendo las malas gestiones de sus gobiernos y una crisis financiera internacional común a los países más desarrollados.

Los jóvenes no podían mantenerse pasivos, y lo sabían. Unos protestaban y se manifestaban contra su gobierno con la ayuda[17] de las nuevas tecnologías. Otros viajaban al extranjero -como habían hecho ya generaciones anteriores de españoles- para desarrollar[18] sus carreras profesionales. Otros luchaban[19] individualmente con ilusión y determinación.

En este libro explicaremos cómo los jóvenes españoles han vivido los recientes cambios políticos y económicos de su país, y qué han hecho para adaptarse a ellos y seguir creciendo.

Además, hablaremos de por qué los chicos españoles se encuentran entre los más felices del mundo, aun cuando viven tiempos difíciles, qué importancia tiene el tiempo libre para su felicidad y por qué las redes sociales son también hoy en día fundamentales en su vida.

Por último, presentaremos a algunos jóvenes como Albert Casals o Andrea Motis, que han conseguido triunfar, superando[20] todo tipo de obstáculos.

---

[12] **gestión:** administración [13] **indignado:** enfadado [14] **manifestarse:** (aquí) reclamar o protestar en la calle [15] **acampar:** dormir en tiendas de campaña [16] **conseguir:** obtener [17] **ayuda:** cooperación [18] **desarrollar:** (aquí) progresar [19] **luchar:** (aquí) trabajar duro [20] **superar:** vencer dificultades

Jóvenes manifestándose en 2011

pista 02

1. Los chicos españoles, entre los más felices del mundo

«Lo que verdaderamente mide la calidad de vida de un país es cómo este cuida de sus jóvenes» UNICEF

L a libertad, los amigos, la familia, el dinero, la salud, el amor... La felicidad tiene distintos significados para distintos jóvenes. Pero, ¿se pueden encontrar todas estas cosas en un mismo lugar?

Según un reciente estudio del Fondo de Naciones Unidas para la Infancia, UNICEF, parece[1] ser que sí: todas estas cosas se pueden encontrar en varios países. España es uno de ellos. Este estudio se diseñó para analizar los niveles de felicidad entre los niños y jóvenes menores de 30 años de los 21 países más ricos del mundo.

Según los resultados[2], los países del oeste de Europa son, en general, los más felices del mundo. Además, las niñas parecen ser más felices que los niños, y los jóvenes que viven en ciudades se sienten más contentos que los que viven en zonas rurales.

Los factores sociales son importantes para medir la felicidad. Por ejemplo, los chicos que crecen en familias monoparentales son menos felices que los que crecen en un ambiente familiar más tradicional.

---

[1] **parecer:** aparentar, dar la impresión de [2] **resultado:** (aquí) conclusión

Según los más de 45 000 niños y jóvenes encuestados[3] por UNICEF, las actividades que les hacen más felices son «estar con los amigos» (para un 64% de los encuestados), «estar con la familia» (54%) o «sacar buenas notas[4]» (41%). Los encuestados dicen que no son felices cuando los castigan[5] (5 de cada 10), cuando sacan malas notas (4 de cada 10) o cuando hay discusiones fuertes en casa (3 de cada 10).

Los jóvenes también se preocupan[6] por el futuro. Casi todos los encuestados piensan seriamente en el medioambiente[7], la política, las guerras[8] y su propio futuro profesional.

La siguiente lista contiene algunas de las afirmaciones que UNICEF usa en sus encuestas:

> Soy feliz casi siempre.
> Soy feliz solo a veces.
> No soy feliz casi nunca.
> No soy feliz nunca.
> Soy feliz cuando estoy con los amigos.
> Soy feliz cuando estoy con la familia.
> Soy feliz cuando estoy en el colegio o cuando saco buenas notas.
> Soy feliz cuando salgo a jugar o tengo tiempo libre.
> No soy feliz cuando mis padres se enfadan[9] o hay peleas[10] en casa.
> No soy feliz cuando saco malas notas.
> No soy feliz cuando no hay dinero en casa.

Para entender a los jóvenes de cada país, la organización estudia diversos aspectos de su vida relacionados, por ejemplo,

---

[3] **encuestado:** persona que participa en un estudio [4] **nota:** calificación por trabajo académico [5] **castigar:** poner una pena o corrección, por ejemplo, por mal comportamiento [6] **preocuparse:** sentir angustia, intranquilidad o temor [7] **medioambiente:** temas ecológicos o relacionados con el planeta [8] **guerra:** conflicto armado entre varios países o bandos [9] **enfadarse:** sentir enojo [10] **pelea:** (aquí) discusión, situación tensa

con el bienestar material[11], la salud[12], la educación, la familia y los posibles riesgos[13] que hay en su vida.

Para medir el bienestar material, se tienen en cuenta factores como el dinero que ganan los padres, el número de libros que hay en casa o si el niño tiene su propia habitación. Para medir el nivel de salud, los expertos calculan el número de muertes infantiles o el número de niños vacunados[14]. Con respecto a la educación, se valoran factores como el número de objetos educativos que tiene un niño, como por ejemplo puzles o juegos didácticos, así como su experiencia en la escuela. Para tomar datos sobre la familia, se calcula el tiempo que pasa un niño con sus padres o cuántas comidas al día se hacen en familia. Con respecto a los riesgos, se tienen en cuenta factores como el comportamiento[15] sexual, el posible consumo de drogas o el acoso escolar[16].

Sobre la base de este estudio, la UNICEF ha elaborado una lista de los países donde los jóvenes son más felices. Estos son:

1. Holanda
2. Suecia
3. Dinamarca
4. Finlandia
5. España
6. Suiza
7. Noruega
8. Italia
9. República de Irlanda
10. Bélgica

De acuerdo con este estudio, los países donde viven los niños y jóvenes menos felices son Hungría (en el puesto 19), Estados Unidos (20) y el Reino Unido (21). España está en quinto[17] lugar y es el único país del sur de Europa entre los cinco primeros de la lista.

Pero, ¿qué hace felices a los niños y jóvenes españoles? ¿Qué diferencias hay entre un niño del norte de Europa o de otras regiones geográficas y uno de España?

---

[11] **bienestar material:** cosas necesarias para vivir bien [12] **salud:** estado físico [13] **riesgo:** peligro
[14] **vacunar:** administrar vacunas para prevenir enfermedades [15] **comportamiento:** conducta
[16] **acoso escolar:** maltrato entre alumnos [17] **quinto:** en orden, el número cinco

Un grupo de jóvenes en Santiago de Compostela

«En la sociedad española, los niños son muy importantes», afirma Silvia Álava, psicóloga infantil. «Los hijos son el centro de la unidad familiar. Los padres prestan mucha atención[18] al niño, y crecer en un ambiente seguro y estable da mucha seguridad». Debido a este ambiente «seguro y estable», los jóvenes españoles están muy unidos a la familia.

«En Estados Unidos, los jóvenes se independizan[19] aproximadamente a los 18 años, casi diez años antes que los españoles. Esto no es necesariamente bueno», opina el psiquiatra Luis Rojas Marcos. «En España, las relaciones sociales son lo más importante en la vida del joven», afirma, «y por eso los jóvenes españoles son gente solidaria, bondadosa[20] e inquieta[21]. Además valoran las relaciones con los demás y se involucran[22] en los problemas. Eso los hace ser felices».

Según los resultados de la encuesta, España es, junto a Italia e Irlanda, uno de los países más felices también en cuanto a bienestar material. Pero, ¿significa eso que en estos países se invierte[23] más dinero en los jóvenes?, ¿o que son países más materialistas? «No, en absoluto[24]», opina la doctora Agnes Naim, de UNICEF, «a los jóvenes españoles no les importan las marcas, pero sí están acostumbrados a recibir lo que quieren como recompensa[25] por las buenas notas. En Suecia, por ejemplo, los padres sí compran productos de marca, pero no para competir[26], sino porque les interesa la calidad. En el Reino Unido, sin embargo, hay mucha presión de los medios de comunicación sobre los niños y los jóvenes para hacerles comprar productos».

«Mis padres no me dan dinero nunca, pero si pueden, me compran las cosas que quiero», dice Kevin Pujol, un chico de 18 años de Barcelona. «Me parece que esto es bastante común en mi

---

[18] **prestar atención a:** (aquí) dedicar tiempo, dar prioridad [19] **independizarse:** dejar la casa familiar [20] **bondadoso:** amable, generoso [21] **inquieto:** (aquí) curioso [22] **involucrar:** incluir [23] **invertir:** destinar el dinero a algo o alguien [24] **en absoluto:** no, de ninguna manera [25] **recompensa:** premio, regalo [26] **competir:** (aquí) compararse con otra persona e intentar ganar

país. Mis amigos tampoco reciben una paga semanal[27]. Los padres les compran las cosas necesarias o les hacen regalos».

Buikje van Meegeren, de Almere, Holanda, explica: «cuando era pequeña mis padres me compraban cosas el día de mi cumpleaños. También lo hacían durante las vacaciones. Además, me daban una paga semanal. Esto es muy común en Holanda. Cuando cumplí 18 años, sin embargo, me dijeron que debía buscarme un trabajo. Ahora gano mi propio dinero para mis gastos[28]».

Los riesgos de la sociedad en la que viven los niños y jóvenes españoles son similares a los que existen en los otros países de la lista, principalmente los relacionados[29] con las drogas y las relaciones sexuales. Sin embargo, hay un riesgo nuevo que no existía hasta hace poco en España, pero que actualmente es un motivo importante de preocupación. Se trata del acoso escolar.

«El maltrato[30] psíquico o físico entre alumnos tiene consecuencias psicológicas muy graves», dice Rojas Marcos. Iñaki Piñuel, profesor de secundaria y autor de varios libros sobre el acoso escolar, afirma que «en España este fenómeno está creciendo. Aunque, afortunadamente[31], muchos jóvenes saben dónde encontrar ayuda». «Hay organizaciones y ONGs contra el acoso escolar», dice Kevin Pujol. «Sé que en otros países estas formas de ayuda no existen. Me siento feliz porque vivo en un país donde esta y otras ayudas están cerca. Y, claro, también porque tengo a mis amigos y a la familia».

Otro estudio reciente, realizado por la marca[32] de refrescos Coca-Cola, ha descubierto[33] que la felicidad de los jóvenes españoles es un reflejo[34] de la población en general. A pesar de[35] la crisis económica que ha vivido España en los últimos años, el 69% de los españoles dice que es feliz. Además, para la mayor parte de

---

[27] **paga semanal:** dinero que dan los padres a sus hijos cada semana [28] **gasto:** compra [29] **relacionado:** que tiene que ver con otra cosa [30] **maltrato:** comportamiento agresivo de una persona hacia otra [31] **afortunadamente:** por suerte [32] **marca:** (aquí) empresa [33] **descubrir:** (aquí) encontrar [34] **reflejo:** (aquí) muestra [35] **a pesar de:** aun con

las personas que participaron en el estudio, el momento más feliz del año son las vacaciones con la familia, la pareja[36] o los amigos.

El secreto para ser feliz, aun en los momentos difíciles, es ser optimista. «Ser solidario e imitar[37] las actitudes positivas de otras personas ayuda a ser feliz», explica el profesor Josep María Serra Grabulosa, de la Universidad de Barcelona. Según Grabulosa, España está entre los países más felices porque sus habitantes dan más importancia a las relaciones entre las personas. «Los españoles saben que el dinero no da la felicidad», dice.

---

pista 03

El ocio: una fuente de felicidad

Aunque la mayor parte de jóvenes encuestados en los distintos países dice que «estar con los amigos y la familia y «sacar buenas notas» son las actividades que más felices les hacen, para los jóvenes españoles, «salir con los amigos» y «las actividades de ocio en internet» son la principal fuente[1] de felicidad.

El psiquiatra español Luis Rojas Marcos, especializado en el comportamiento social de los jóvenes, afirma que «el ocio es extremadamente importante en la calidad de vida de los adolescentes españoles. Su tiempo libre es lo más importante y el impacto en su estado de ánimo[2] es vital. La industria del entretenimiento ofrece a la juventud experiencias muy atractivas, sin necesidad de grandes recursos[3] económicos. Escuchar música y ver televisión en la red son pasatiempos populares. Hablar a través del móvil o en las redes sociales parece ser la actividad más importante en la vida de los jóvenes españoles».

Varios analistas sociales están de acuerdo en que cada vez más jóvenes se conectan a las redes sociales para jugar o compartir sus experiencias: publican fotografías o mensajes sobre su día a día[4], por ejemplo. Al compartir su experiencia en las redes sociales, conocen a otros jóvenes con intereses similares, y muchas de estas relaciones son duraderas[5].

---

[1] **fuente:** (aquí) motivo, razón   [2] **estado de ánimo:** humor, disposición
[3] **recurso:** (aquí) medios, gastos   [4] **día a día:** vida cotidiana   [5] **duradero:** largo

pista 04

2. ¿Cómo se divierten los jóvenes españoles?

«Los jóvenes escuchan música que refleja su personalidad»
Encuesta Toluna/ Kellogg's

En su tiempo libre, los jóvenes españoles se dedican principalmente a escuchar música, ver televisión y salir con los amigos.

Según el Instituto de la Juventud (INJUVE), que regularmente realiza estudios sobre el tiempo libre de los jóvenes españoles de entre 16 y 30 años, las actividades de ocio favoritas son:

1. Escuchar música (97,3%)
2. Ver la televisión (97,2%)
3. Salir con los amigos (97,1%)
4. Viajar (92,2%)
5. Ir al cine (91,2%)
6. Ir de excursión (77,3%)
7. Hacer deporte (71,7%)
8. Navegar por internet (68,6%)
9. Leer libros (63,2%)
10. Ir al teatro (43,3%)

(Fuente: INJUVE. Informe Juventud en España 2004)

Los jóvenes dedican gran parte de su tiempo libre a la música. Para ellos, la música que escuchan refleja su personalidad. La mayoría prefiere escuchar a un artista de pop o de rock y compartir las canciones favoritas con amigos. Pero, además de intercambiar música a través de las redes sociales, a los jóvenes les gusta ir a

Amaral, un grupo musical muy popular en España

conciertos. Un 55% de los chicos entrevistados para un informe reciente de la marca de cereales Kellogg's dice que va a entre uno y tres conciertos al año. Finalmente, un porcentaje importante (57%) de los chicos españoles de entre 16 y 30 años tiene su propio grupo musical o amigos que tienen uno.

Ver la televisión es otra de las actividades importantes del ocio juvenil en España. La mayor parte de los jóvenes tiene al menos un aparato en sus casas. Es muy común ver la televisión en familia durante la cena o después de ella. Los programas del horario nocturno comienzan con las noticias (también llamado telediario) aproximadamente a partir de[1] las ocho de la noche. Después hay programas de entretenimiento y espectáculos, de debates o de prensa rosa[2], series de televisión o películas. Los jóvenes ven habitualmente estos programas, a veces incluso hasta las dos o las tres de la mañana.

«Puedo ver la televisión durante cinco o seis horas, fácilmente», dice Eric Pujol, de 17 años. «Me gustan sobre todo las series de televisión y las comedias. Durante el fin de semana casi no veo televisión porque practico deporte durante el día y salgo con amigos por la noche».

Las series de televisión españolas son muy populares y su producción suele ser muy cara. Alcanzan unos índices de audiencia[3] muy altos en todas las temporadas y muchas tienen protagonistas adolescentes. Algunas series que han tenido o tienen mucho éxito entre los jóvenes son: *Al salir de clase*, sobre las aventuras de un grupo de chicos en el instituto; *Aquí no hay quien viva*, una comedia sobre la vida de los vecinos[4] de un edificio de Madrid; *Cuéntame*, sobre la historia de una familia desde los años 60 hasta la época actual, y *El internado*, una serie de misterio sobre unos estudiantes que viven en un colegio en el bosque.

---

[1] **a partir de:** desde [2] **prensa rosa:** revistas y programas televisivos sobre la vida de los famosos [3] **índice de audiencia:** indicador de la cantidad de gente que ve un programa [4] **vecino:** (aquí) gente que comparte un edificio

Los protagonistas de la serie *El Internado*

«No es extraño que los jóvenes vean tanta televisión», comenta Leticia García Reina, periodista e investigadora mediática, «las productoras y los canales de televisión saben bien cuál es su público más importante, el público que más consume tecnología y medios: los jóvenes. De este modo, producen o emiten[5] programas y series dedicadas exclusivamente a ellos. Esto no quiere decir que estos programas sean de buena calidad, lamentablemente[6]».

Salir con los amigos es otra de las actividades preferidas de los jóvenes, según el informe. «Entre semana chateo en internet o cuelgo[7] mensajes en mi Facebook. Los fines de semana salgo por ahí[8] con mi grupo de amigos», dice Sonia Moreno, una estudiante de cuarto de E.S.O. de Segovia. «¿Si me voy de *botellón*? ¡Claro! Todo el mundo lo hace, ¿no? Pero yo solo lo hago una vez al mes o una vez cada dos meses, como máximo», explica.

Sonia habla de un fenómeno que comenzó a principios de los años 90 en varias partes de España: el *botellón*. Los sociólogos describen esta actividad como una reunión de muchos jóvenes de entre 14 y 24 años, que consumen bebidas alcohólicas (que han comprado antes en los supermercados) mientras escuchan música, charlan[9] o bailan. Se hace normalmente en un espacio grande y abierto como una plaza o un campo a las afueras de una ciudad, por ejemplo.

«Los orígenes del *botellón* están entre la clase obrera[10] y los estudiantes universitarios que querían divertirse bebiendo alcohol, pero que no podían pagar el precio de una bebida en un bar», dice Gonzalo Musitu, Catedrático de Psicología Social de la Universidad Pablo Olavide de Sevilla.

«Cuando juntas[11] miles de jóvenes en un mismo lugar y les das alcohol, por supuesto que va a haber peleas o disputas de todo tipo», dice Inmaculada Soler, del Grupo Catalán de Servicios

---

[5] **emitir:** (aquí) dar por televisión [6] **lamentablemente:** por desgracia [7] **colgar:** (aquí) colocar un archivo en internet [8] **salir por ahí:** estar con los amigos fuera de casa [9] **charlar:** hablar informalmente [10] **clase obrera:** sector social de trabajadores asalariados [11] **juntar:** reunir

Sociales de la Magoria (Barcelona), «pero no hay que olvidar que estos conflictos son puntuales y mínimos, dentro del contexto de la cantidad de *botellones* y *botellódromos* que se celebran en España los fines de semana».

A principios del año 2001, asociaciones de padres y madres, vecinos y propietarios de bares y cafeterías expresaron su preocupación por el *botellón*. Como consecuencia, el gobierno propuso la llamada Ley *Antibotellón*. Esta ley quería prohibir la consumición de bebidas alcohólicas en espacios al aire libre[12]. La prohibición fue muy polémica, tanto entre los jóvenes como entre los grupos de derechos humanos, que pensaban que estas medidas ponían en peligro la libertad de expresión. Finalmente, la ley no se aprobó, pero muchos gobiernos locales decidieron limitar los riesgos de los *botellones*, como las peleas y los ruidos.

«El 78% de los adolescentes que practica el *botellón* solo quiere relacionarse[13] y divertirse, y únicamente entre un 3% y un 5% participa para emborracharse», afirma el catedrático Gonzalo Musitu, «El *botellón* forma parte de la socialización de los adolescentes. Los adultos no deben dramatizar al hablar de la adolescencia: los jóvenes van al *botellón* pero también participan en muchas otras actividades sociales».

Además de estas tres actividades (escuchar música, ver la televisión y salir con amigos), a los jóvenes les gusta viajar e ir al cine. Los jóvenes también son deportistas: más del 75% de los chicos va de excursión en su tiempo libre. Y a más del 70% le gusta practicar deporte.

El uso de internet se ha consolidado, en los últimos años, como una actividad muy popular. «Los porcentajes han cambiado en los últimos dos o tres años. Navegar por internet ahora es una de las actividades favoritas de los jóvenes españoles», afirma el INJUVE. «Hemos visto un cambio importante en el campo de la tecnología.

---

[12] **aire libre:** en el exterior [13] **relacionarse:** (aquí) compartir con otras personas

Aunque en la cultura española los jóvenes socializan normalmente en la calle o en las casas de los amigos, las redes sociales como Facebook, Tuenti o Twitter son cada vez más importantes».

Según *ReadWriteWeb*, una página de internet que estudia los hábitos de los jóvenes en relación a las nuevas tecnologías, los chicos españoles están al mismo nivel que el resto de europeos en cuanto a su presencia *online*. Según un estudio de esta empresa, que se publicó en su página web en diciembre de 2010, las redes sociales son el recurso que más utilizan los jóvenes en internet. Tuenti es la plataforma social más importante, con un 60% de socios, mientras que Facebook solo llega a un 21%.

«Yo tengo cuenta en Tuenti casi desde que empezó», afirma Esther Maroto, estudiante de periodismo en la Universidad Autónoma de Madrid. «Me gusta más que Facebook, que me parece más comercial. Miro Tuenti por la mañana, cuando me levanto, para ver si tengo mensajes. También después de cenar, mientras veo la tele para colgar fotos y escribir mensajes sobre lo que he hecho durante el día».

Finalmente, el estudio realizado por INJUVE revela que muchos jóvenes también dedican su tiempo libre a actividades culturales, como leer libros o ir al teatro. Así, la Federación de Gremios de Editores de España, con ayuda del Ministerio de Cultura, publicó en enero de 2011 un estudio sobre los hábitos de lectura entre los jóvenes españoles. De acuerdo con este estudio, el 53% de los jóvenes de más de 14 años lee al menos un libro cada tres meses, mientras que el 43% se considera lector habitual (más de dos libros al mes).

«Una cosa está clara», comenta el catedrático Gonzalo Musitu, «los jóvenes españoles sienten curiosidad por las cosas y tienen ganas de vivir experiencias nuevas, y de ocupar su tiempo. Y eso es algo muy bueno».

pista 05

España, país líder en descargas[1]

En los últimos años, el uso de la tecnología es para los jóvenes españoles una actividad cotidiana[2]. España es el país número 1 de Europa en descargas de música, videojuegos y películas: un 75% de la población juvenil los consume a diario. Lamentablemente, la mayor parte de estos consumidores lo hace de forma ilegal. Se trata del fenómeno llamado «piratería».

Según el Informe Anual de Piratería de Software en España, el valor del mercado ilegal llega a los 834 millones de euros. Es decir, este es el costo del software descargado ilegalmente.

De hecho[3], Michael Lynton, director de la empresa Sony Entertainment, dijo en una entrevista que España podía convertirse[4] en el segundo país del mundo (después de Corea del Sur) vetado[5] por las grandes compañías distribuidoras de DVDs de Hollywood.

La razón es la piratería. «La gente en España está descargando tantas películas que pronto no será un mercado viable[6] para nosotros», aseguró.

Recientemente, la Comisión de Propiedad Intelectual de España publicó la Ley de Economía Sostenible, conocida como Ley Antidescargas. Esta ley permite cerrar las webs que facilitan las descargas ilegales.

«Personalmente no descargo películas ni música. Pero tengo amigos que sí lo hacen. Entiendo por qué se bajan pelis[7] de forma ilegal... ¡Los DVDs son carísimos para nosotros, los estudiantes!», dice Sonia Moreno.

---

[1] **descargar:** copiar un archivo de internet al ordenador propio [2] **cotidiano:** de todos los días [3] **de hecho:** por cierto [4] **convertirse:** pasar a ser [5] **vetado:** prohibido [6] **viable:** posible [7] **bajarse pelis:** descargar películas de internet

pista 06

3. Los indignados

«Los ciudadanos no estamos representados por el gobierno» Movimiento 15-M

El rumor corre rápidamente por las redes sociales. En las aulas universitarias, en los bares y lugares de encuentro de los jóvenes y en los pasillos de los colegios mayores[1] se siente que va a pasar «algo fuerte[2]». También se siente en las pequeñas organizaciones políticas juveniles que han aparecido en los últimos años para presionar al gobierno. Los jóvenes españoles no están de acuerdo con las decisiones de la clase política de su país. El partido en el gobierno en el 2011, socialista, ganó las elecciones generales del 2004 y las del 2008. Sin embargo, tanto las medidas del gobierno como la actitud de la oposición, junto con las dificultades económicas que vive el país, provocan un malestar[3] general entre la población. Los estudiantes tienen desde hace años la sensación de que hay cada vez más injusticia[4].

Twitter, Facebook, Tuenti, YouTube, Bebo... todas las redes sociales en internet se llenan de mensajes y palabras clave: protestas, Movimiento 15-M, indignados, democracia, abuso de poder, *Spanish revolution*, únete, muévete, plaza Catalunya, Gran Vía de Colón, Puerta del Sol, Valencia, Bilbao, Madrid, Barcelona, Tenerife...

---

[1] **colegio mayor:** institución universitaria donde viven los estudiantes [2] **fuerte:** (aquí) importante [3] **malestar:** sensación de desagrado e incomodidad [4] **injusticia:** falta de justicia

Los indignados protestan en Barcelona

«Me acuerdo de que al principio eran solo algunos mensajes en Twitter, algún correo electrónico que llegaba de vez en cuando. Unos meses más tarde ya se intuía[5], o mejor dicho, se sabía, que aquello era un movimiento grande. Quizás el más grande de mi generación», dice Ana Gutiérrez, estudiante de Ciencias Económicas en Barcelona.

«Algo tenía que pasar», asegura[6] César Maldonado, estudiante de segundo año de Ingeniería Técnica en Madrid. «Había una sensación general en todo el mundo. Los gobiernos estaban fallando[7] a la gente. Los bancos estaban abusando de su poder. Y el gobierno español no sabía cómo resolver la crisis financiera. A cada paso, parecía ir en contra del bienestar de los ciudadanos, sobre todo de los más jóvenes. No a favor. Las protestas eran inevitables».

«Era una situación cada vez más difícil para nosotros (los jóvenes). Los sueldos eran cada vez más bajos. Nació la generación *mileurista*, la generación de los «contratos basura», luego la generación del ochocientos, la generación de los «becarios[8] precarios»: mi generación. ¿Qué hacer sino salir a la calle? ¿Qué hacer sino manifestarse? La única opción era intentar cambiar algo», explica Fe Moreno, becaria de 24 años en una agencia de viajes en internet.

Y, finalmente, después de meses de rumores, de planificación, de muchos «¡pásalo[9]!», de organizarse... Llega el día, quizás el día más importante de la nueva generación: el 15 de mayo del 2011.

Ese día 50 ciudades españolas se llenan de cientos de miles de jóvenes, que salen a la calle para protestar contra el gobierno. Los jóvenes han trabajado duramente[10] desde los primeros meses del año 2011. Han preparado las protestas a conciencia[11]. Han intentado por todos los medios, y sobre todo a través de internet, conseguir apoyo[12] externo, fuera de los círculos de estudiantes.

---

[5] **intuir:** adivinar, presentir [6] **asegurar:** (aquí) decir con seguridad, afirmar [7] **fallar:** no tener éxito [8] **becario:** (aquí) empleado joven que ha terminado sus estudios recientemente [9] **¡pásalo!:** invitación a compartir la información, especialmente a través de internet [10] **duramente:** con mucho esfuerzo [11] **a conciencia:** con rigor, cuidadosamente [12] **apoyo:** ayuda

Ahora tienen la ayuda de más de 500 ONGs y plataformas, muchas de ellas creadas en internet para unirse a la causa. Una de estas plataformas, ¡Democracia Real YA!, se encarga de dar a conocer[13] el mensaje de los jóvenes en las redes sociales para convocar[14] manifestaciones.

«Somos una organización política, pero no formamos parte de ningún sindicato[15] ni partido determinados», dice el manifiesto de la organización en su página web. «Creemos que los ciudadanos no estamos representados por el gobierno, no somos escuchados[16] por los políticos actuales. Exigimos[17] un cambio de política. El gobierno actual ha llevado mal el país. En España hay un 24% de desempleo, el más alto de Europa. Además, el 45% de parados[18] está formado por jóvenes, muchos de ellos universitarios. Hay demasiados recortes[19] en los campos de educación y salud. Mucha gente vive con problemas económicos dentro del contexto de la crisis económica mundial. Hay demasiadas familias desahuciadas[20] porque ya no pueden pagar su hipoteca[21]. Además, también denunciamos las prácticas de las corporaciones multinacionales que han causado tantos problemas financieros en tantos y tantos países».

La plataforma ¡Democracia Real YA! ha popularizado[22] el concepto «la juventud precaria[23]», que se refiere a los jóvenes de entre 16 y 30 años que sufren[24] la mala administración de este gobierno y otros anteriores. Como consecuencia de una mala política, los jóvenes, aunque están más preparados que nunca académicamente (tienen títulos universitarios, másters y saben idiomas), no tienen muchas posibilidades de encontrar trabajo y cuando lo encuentran, es con unas condiciones muy malas: muchas horas, sueldos mínimos y sobre todo, contratos temporales», explica la periodista Ainhoa Goikoetxea.

---

[13] **dar a conocer:** difundir [14] **convocar:** (aquí) llamar, invitar [15] **sindicato:** unión de trabajadores [16] **escuchar:** oír [17] **exigir:** pedir con determinación, reclamar [18] **parado:** persona sin trabajo [19] **recorte:** (aquí) reducción, disminución [20] **desahuciar:** expulsar a alguien de su casa [21] **hipoteca:** crédito que da el banco para comprar una casa [22] **popularizar:** hacer conocido [23] **precario:** pobre, inestable [24] **sufrir:** sentir un daño o dolor

Aleix Saló, un dibujante e ilustrador catalán, ha inventado un nuevo nombre para España: *Españistán*. En palabras del propio autor: «*Españistán* es un país en el que los directivos tienen los salarios más altos de Europa. Un país con la tasa[25] de paro[26] más alta del mundo libre. Un país donde el 65% del dinero circula[27] en billetes de 500 euros. Un país orgulloso[28] de sus hipotecas a cincuenta años». Aleix creó un vídeo sobre su concepto de *Españistán* y lo colgó en internet. En él habla de cómo España pasó de ser una de las naciones más prometedoras, con mejores perspectivas económicas, a un país donde los jóvenes no encuentran trabajo a pesar de su preparación académica. Un país donde la burbuja económica explotó y donde, como resultado, las nuevas generaciones no tienen muchas expectativas de futuro.

El vídeo circuló rápidamente por internet e interesó a una gran cantidad de jóvenes, quienes inmediatamente lo colgaron en sus páginas de Facebook.

El movimiento 15-M a fondo

El autor y militante político alemán Stéphane Frédéric Hessel, residente en París, publicó en el año 2010 un manifiesto político titulado *¡Indignaos!* (del francés *Indignez-vous !*). En este libro, el escritor anima[29] a los jóvenes «a indignarse» y dice que «todo buen ciudadano debe indignarse porque el mundo va mal, gobernado por unos poderes financieros que lo acaparan[30] todo». Además explica que «durante la Segunda Guerra Mundial, los jóvenes nos indignábamos, nos jugábamos la vida, pero teníamos unos objetivos concretos: eran Hitler y Stalin. Sin embargo, los jóvenes de ahora se juegan la libertad y los valores más importantes de la humanidad. La peor actitud es la indiferencia[31]»

---

[25] **tasa:** (aquí) porcentaje [26] **paro:** desempleo, falta de trabajo [27] **circular:** (aquí) pasar de una persona a otra [28] **orgulloso:** (aquí) feliz [29] **animar:** recomendar una acción [30] **acaparar:** dominar [31] **indiferencia:** actitud pasiva, falta de opinión

El cómic *Españistán*

¹**érase una vez:** frase con la que comienzan los cuentos infantiles ² **reino:** país gobernado por un rey o una reina ³ **convulso:** (aquí) con muchos problemas ⁴ **a duras penas:** con dificultad ⁵ **levantar cabeza:** estar mejor, superar un problema ⁶ **currito:** (aquí) trabajo de poca importancia, generalmente de muchas horas y en el que el trabajador recibe un sueldo bajo

Por su parte, la periodista española Rosa María Artal publicó otro manifiesto llamado *Reacciona*, compuesto por artículos de jueces[32], escritores, economistas y periodistas que alertan de la crisis política en las sociedades actuales y, en particular, de la sociedad española. El libro anima a los jóvenes a expresar su opinión y reaccionar ante la corrupción y los poderes financieros, económicos y políticos.

Siguiendo el ejemplo de estos libros y tomando como modelo las protestas en Grecia del año 2008, las del mundo árabe en los años 2010 y 2011 y las de Islandia, también en el 2010, los jóvenes españoles decidieron organizar su propia manifestación pública y «tomar las calles de las principales ciudades españolas para mostrar nuestro desacuerdo» (Movimiento de los Indignados).

La primera protesta juvenil ocurrió el 30 de marzo del 2011. Fue una huelga[33] general de estudiantes en contra de los recortes de presupuestos educativos, el plan Bolonia, el aumento de las tasas universitarias y el paro juvenil.

El 7 de abril el grupo de estudiantes universitarios madrileños Juventud sin futuro organizó otra manifestación. Filmó vídeos que luego colgó en YouTube y otras plataformas digitales, para protestar contra la crisis económica «a la que hemos llegado gracias a la mala gestión del gobierno. Debido a esto, muchos jóvenes preparados estamos desempleados» (Juventud sin futuro).

Finalmente, se formó el Movimiento 15-M, un movimiento ciudadano que empezó el 15 de mayo. Su primera acción fue una serie de protestas pacíficas para promover una democracia participativa, más representativa, lejos del poder de bancos y corporaciones. El lema del Movimiento 15-M era «No somos marionetas[34] en manos de políticos y banqueros».

En sus primeras declaraciones los portavoces del Movimiento 15-M dijeron a la prensa: «Las prioridades de toda sociedad

---

[32] **juez:** (aquí) persona responsable de administrar justicia [33] **huelga:** medida de protesta que consiste en no trabajar durante un período de tiempo limitado [34] **marioneta:** (aquí) persona que se deja manipular fácilmente

avanzada deben ser la igualdad, el progreso, la solidaridad, el libre acceso a la cultura, la sostenibilidad ecológica y el desarrollo, el bienestar y la felicidad de las personas».

Más tarde, cuando el movimiento había conseguido ya más difusión –y más poder– en los medios, sus representantes dijeron que: «Nosotros los desempleados, los mal remunerados[35], los subcontratados, los precarios, los jóvenes… Queremos un cambio y un futuro digno[36]. Estamos hartos[37] de reformas antisociales, de estar en el paro, de que los bancos que han provocado la crisis suban las hipotecas o se queden con nuestras viviendas, de que nos impongan[38] leyes que limitan nuestra libertad en beneficio de los poderosos. Acusamos a los poderes políticos y económicos de nuestra precaria situación y exigimos un cambio de rumbo[39]».

Las acampadas

Muchos de los jóvenes que participaron en las manifestaciones del 15 de mayo decidieron continuar su protesta sin interrupción. «Se hablaba de acampar en las calles o en las plazas», dice César Maldonado, estudiante universitario. «Algunas acampadas fueron improvisadas, pero la mayoría ya estaban organizadas por redes sociales como la madrileña #acampadasol: tenían grupos de limpieza, de vigilancia, de prensa, de abogados… ».

En la noche del 15 de mayo, en la ciudad gallega de La Coruña se reunieron más de mil personas. En Madrid, a primera hora de la tarde, se juntaron unas doscientas personas y decidieron acampar indefinidamente. Por la noche, ya eran más de 12 000 personas, todas ellas bajo la vigilancia[40] de la policía. Durante los días siguientes, más y más jóvenes se unieron a las acampadas. En Madrid, los números de personas seguían

---

[35] **mal remunerado:** que recibe poco dinero por su trabajo [36] **digno:** (aquí) bueno [37] **harto:** cansado [38] **imponer:** obligar o forzar a aceptar algo [39] **rumbo:** dirección [40] **vigilancia:** (aquí) observación

creciendo: 15 000, 18 000, 20 000... ya no cabía más gente en la plaza y los indignados comenzaron a ocupar las calles del centro de la capital española. En Barcelona se juntaron más de 15 000 personas, en Sevilla más de 10 000, en Valencia 11 000, y también en Murcia, Toledo, Cádiz, Salamanca, Tenerife, Oviedo, Albacete... En total, según los organizadores de las acampadas, se reunieron entre 117 500 y 129 000 personas en las principales ciudades del país.

La red social Twitter anunció que desde el día 15 hasta el 20 se enviaron 596 815 *tweets* con el *hashtag*[41] *#spanishrevolution*. La prensa internacional comenzó a informar sobre las protestas y acampadas y, como resultado, miles de personas en ciudades de todo el mundo se solidarizaron con los jóvenes españoles. Primero fue un grupo de estudiantes que acampó frente a la embajada de España en Londres. Luego sucedió en Ámsterdam, Bruselas, París, Varsovia, Rabat, Viena, Budapest... «Estamos aquí apoyando el movimiento de España», explicó a la agencia de noticias española Efe uno de los participantes, que no quiso decir su nombre. Los manifestantes llevaban carteles con lemas como «¡Estamos hartos!» y «¡No aguantamos[42] más!».

Fin de las acampadas

Llegó el día de las elecciones generales en España: el 22 de mayo de 2011. El Partido Popular, conservador, ganó las elecciones por mayoría absoluta y hubo un cambio de gobierno. Pero en las elecciones, el número de votos blancos y nulos fue el más alto de la historia de España, y según muchos analistas, el Movimiento 15-M tuvo que ver en ello.

Los indignados no querían terminar con su protesta ni con las acampadas. Siguieron protestando, publicando manifiestos y enviando propuestas al gobierno. Sin embargo, la presión de

---

[41] **hashtag**: almohadilla. Término en inglés (*hash*: almohadilla y *tag*: etiqueta) que se usa en Twitter para organizar los temas [42] **aguantar**: soportar una situación difícil

El movimiento 15-M en Madrid

algunos partidos políticos, de una parte de ciudadanos y de propietarios de comercios se empezó a notar. Cuatro semanas después del comienzo de las protestas, los acampados en Madrid y otras ciudades empezaron a recoger sus tiendas. Pero en muchas capitales los indignados abrieron centros de información.

Hoy en día todavía sigue su lucha: organizan manifestaciones y, sobre todo, publican información en las múltiples redes sociales que usaron desde el principio de su protesta.

Stéphane Frédéric Hessel, autor del libro que dio nombre al movimiento de «los indignados», dijo que estaba «agradablemente sorprendido» por la movilización española. Periodistas y analistas de todo el mundo publicaron estudios sobre el Movimiento 15-M. Algunos de ellos se mostraban positivos, otros, escépticos. Victoria Lafora, analista política, dijo: «Los indignados no pudieron presentar exigencias a unos políticos que van a volver a repetir los mismos errores». Sin embargo, muchas personas del mundo de la universidad y la política señalaron los aspectos positivos de la organización y las protestas de los jóvenes españoles.

El movimiento hoy

El movimiento 15-M fue muy importante para los jóvenes españoles y, gracias a la difusión en prensa e internet, para los jóvenes de muchos otros países. Todavía se organizan muchas acampadas, tanto en España como en el extranjero. Las organizaciones que se formaron para protestar siguen activas. Los jóvenes siguen publicando manifiestos y *hashtags* en sus páginas de Twitter: saben que si quieren seguir presionando al gobierno, no pueden bajar la guardia[43].

«Yo nunca había vivido una 'revolución'». Crecí pensando que estaba todo arreglado, que vivíamos en un país de bienestar. Pero ahora he visto que no, que el país debemos construirlo

---

[43] **bajar la guardia:** descansar, relajarse

nosotros también, que hay que salir a la calle y hablar, protestar. Creo que es cierto lo que dijo Stéphane Frédéric Hessel: «la peor actitud es la indiferencia», afirma la estudiante Ana Gutiérrez.

pista 07

Los mileuristas

En el año 2005 se creó una nueva palabra para hablar de las personas que ganaban alrededor de 1 000 euros al mes: *mileurista.*

La joven periodista Carolina Alguacil, de 27 años, la utilizó por primera vez en una carta al periódico EL PAÍS. En ella definía al *mileurista* como «un joven licenciado, con idiomas, posgrados, másters y cursillos (...) que no gana más de 1 000 euros. Este joven gasta más de un tercio[1] de su sueldo en alquiler porque le gusta la ciudad. No ahorra, no tiene casa, no tiene coche, no tiene hijos, vive al día...».

Carolina inventó este término después de visitar a unos amigos en Berlín y comparar su situación con la de los jóvenes en España.

De acuerdo con cifras publicadas por la Agencia Tributaria, ese mismo año un 58% de los trabajadores españoles ganaba menos de 1 100 euros al mes.

Espido Freire, una joven escritora de Bilbao, ayudó a difundir el concepto de *mileurista* en dos libros que escribió sobre el tema. Ella explica que es un fenómeno más amplio que el hecho de ganar un sueldo determinado. «Es una generación que no cree en el sistema político, que no puede comprar casa propia, y por eso compra cosas mas pequeñas, como ropa o aparatos tecnológicos».

En 2011, la situación no ha cambiado. Según un estudio de la Agencia Tributaria, más del 60% de los trabajadores en España son *mileuristas.*

---

[1] **tercio:** tercera parte

Destinos preferidos por los jóvenes españoles para emigrar

pista 08

4. ¿Te irías al extranjero?

«Estaríamos encantados de recibir a jóvenes españoles»
Ángela Merkel, canciller alemana

Emigrar

● Te irías al extranjero a buscar trabajo? Un 72% de los jóvenes españoles sin trabajo sí lo haría, es decir, dos de cada tres jóvenes. Un estudio realizado por el *Global Talent Mobility Study*, para *The Network*, un portal de 50 páginas web sobre empleo, dice que los españoles «ya no tienen alergia a mudarse al extranjero». Pero no todos ellos dejarían el país sin pensarlo.

«Tendría que ser con unas condiciones determinadas», dice Guillermo Sanz, un periodista de 26 años que busca trabajo desde hace dos meses. «Me iría por un trabajo acorde con[1] mi educación, con un buen sueldo y buenas condiciones», afirma Guillermo, «también es importante poder compaginar la vida laboral con la personal», continúa. Y Guillermo no está solo: el 51% de encuestados dice que se iría al extranjero por un sueldo interesante, el 41% lo haría por tener buenas condiciones laborales y prestaciones sociales[2], el 71% se iría por un contrato fijo[3], y el 62% incluso por un contrato temporal de más de 12 meses.

---

[1] **acorde con:** correspondiente a [2] **prestación social:** servicio que el gobierno da a los ciudadanos que lo necesitan. Por ejemplo, asistencia de salud o seguro de desempleo
[3] **contrato fijo:** contrato por tiempo indefinido

Los países favoritos de los jóvenes españoles para emigrar son Alemania (55%) y Reino Unido (46%). Otros países son Estados Unidos, Francia y Suiza. Solo un 12% de jóvenes se niega a[4] dejar el país, a pesar del panorama económico actual.

Y es que en la difícil situación actual de España, muchos jóvenes se plantean[5] un cambio de planes, o de vida, para desarrollar su carrera profesional. «Yo ya estuve en Alemania, de Erasmus, pero me volví porque quería trabajar en España. Ahora aquí tengo trabajo, pero es un puesto[6] para el que estoy sobrecualificado[7]», dice Ferrán, ingeniero de electrónica de 26 años.

Ferrán es uno de los miles de jóvenes que se presentaron como candidatos a emigrar por trabajo a Alemania. «En los próximos diez años mi país va a necesitar más de 100 000 ingenieros», dijo Angela Merkel en 2011. «Estaríamos encantados de recibir a jóvenes españoles».

«Los sueldos en Alemania son muchísimo más altos que en España», dice Gerald Schomann, de los servicios públicos de empleo alemanes, «un ingeniero gana de 41 000 a 52 000 euros en nuestro país». En España, un ingeniero gana alrededor de 25 000 euros.

La emigración por razones económicas no es nueva en España. En los años 50, 60 y 70 muchos españoles emigraron a otros países en busca de trabajo. Según las cifras publicadas por el Instituto Español de Emigración, entre 1959 y 1973 emigraron al continente europeo más de un millón de españoles (1 066 440). Muchos de aquellos emigrantes eran jóvenes y buscaban un trabajo o mejores condiciones laborales y sociales. Otros emigrantes huían de la dictadura y buscaban un nuevo hogar donde vivir en libertad.

Los países europeos que recibieron más españoles en esas décadas fueron Francia, Alemania, Suiza y Reino Unido. «Francia fue el país que acogió a más españoles. Muchos viajaron

---

allí porque ya existía una colonia española importante: aquellos que habían emigrado durante la Guerra Civil Española. Además, aprender francés era más fácil que aprender alemán o inglés, y los hábitos culturales eran similares a los españoles», dice Manuel Gutiérrez, que emigró a París en el año 1969.

No obstante[8], el cambio de vida no siempre fue fácil. En aquellos tiempos no existía la Unión Europea (UE) y en los países de adopción se creó un mercado negro, en el que los emigrantes españoles trabajaban por sueldos bajos y sin ningún tipo de derecho[9]. Aun así, las condiciones de vida solían ser mucho mejores que las de la España de aquella época. El director de cine Carlos Iglesias rodó[10] Un Franco, 14 pesetas, una película que habla de las experiencias de dos familias de emigrantes españolas en Suiza en los años 60: Iglesias cuenta que «El 90% de la gente que entrevisté para hacer la película me contó que Suiza era como un jardín enorme. A los emigrantes españoles les asombraba[11] la limpieza y la forma de trabajar que tenían allí. Por entonces en España las condiciones laborales y sociales no eran muy buenas».

Fuera de Europa, los países a los que los jóvenes españoles emigraron fueron: Argentina, Cuba, México, Venezuela, Estados Unidos y Australia.

Actualmente, según el censo electoral del año 2011, 1 574 123 españoles viven en el extranjero. De ellos, el 60,1% vive en América, el 36,9% en Europa y el 3,0% restante en otros países.

Argentina es el país con más ciudadanos españoles, aproximadamente 322 000. En los años 60 y 70 muchos españoles emigraron allí. El idioma es el mismo y Argentina era un país joven, rico y próspero que ofrecía muchas oportunidades a los jóvenes que querían un futuro mejor. Muchos de estos emigrantes provenían de Galicia, una región en el norte de España. Por

---

[8] **no obstante:** sin embargo [9] **derecho:** posibilidad de hacer o tener lo que la ley establece a nuestro favor [10] **rodar:** filmar [11] **asombrar:** sorprender

Parobook, una red social para gente sin trabajo

eso en Argentina a los emigrantes españoles se los suele[12] llamar
«gallegos», incluso si son de otras regiones de España.

El paro

Cada año, la Oficina Nacional de Estadística publica información
sobre los índices de desempleo en España y las oportunidades
laborales que ofrecen algunos países europeos. Según estos datos
y el alto porcentaje de jóvenes españoles dispuestos a[13] mudarse al
extranjero, el número de emigrantes españoles podría aumentar.

Con casi un 24% de desempleados, España tiene una de las
tasas más altas de paro, seguida de países como Grecia (20,9%),
Letonia (14,8%), Irlanda (14,8%) y Portugal (14,5%). Los países
con el índice de paro más bajo son Austria (4,3%), Luxemburgo
(4,9%) y los Países Bajos (5%). La tasa de desempleo juvenil en
España es del 43,61%. «Cuando hay una intensa destrucción
de empleo, los jóvenes son los más vulnerables», explica Santos
Ruesga, catedrático de Economía Aplicada de la Universidad
Autónoma de Madrid, «es más fácil deshacerse[14] de ellos: son los
más baratos y prescindibles[15]».

«Esta situación nos obligó a crear Parobook», dice Carlos
Ayuso, uno de los fundadores de este sitio web dedicado a la gente
que no tiene trabajo. «Con esta página intentamos que los parados
no se sientan solos en la lucha por buscar trabajo. Nuestro lema es
«la unión hace la fuerza». Queremos crear un colectivo[16] *online*
como el de Facebook. Un grupo de gente que puede conectarse,
hablar, darse consejos y, en el caso de las empresas, entrevistar y
ofrecer puestos de trabajo a jóvenes que están en el paro».

Desde su creación en el 2011, Parobook tiene más de 100 000
visitas diarias. «Parobook es una alternativa estupenda que
celebra un carácter emprendedor[17]», afirma Rebeca Salcedo, de
la empresa Jóvenes Emprendedores. «Los jóvenes españoles son

---

[12] **soler:** tener costumbre [13] **dispuesto a:** con la intención de [14] **deshacerse de:** (aquí) despedir
[15] **prescindible:** no necesario [16] **colectivo:** grupo [17] **emprendedor:** con iniciativa propia,
persona que decide crear su propio proyecto profesional

perfectamente capaces de hacer valer[18] sus conocimientos, sus ideas y aptitudes. Deberían explorar la opción del autoempleo, de trabajar por cuenta propia[19]. Muchas Comunidades Autónomas ofrecen ayudas para poder abrir pequeñas empresas. El futuro, sin duda, está en las mentes de los jóvenes de menos de 30 años».

---

[18] **hacer valer:** poner en práctica [19] **por cuenta propia:** por sí mismo

pista 09

Españoles en el mundo

Españoles en el mundo es un programa producido por TVE. En él se muestra la vida de españoles que viven en el extranjero. Cada programa está filmado en un país distinto y el equipo de rodaje¹ ya ha dado la vuelta al mundo más de 40 veces. *Españoles en el mundo* es uno de los programas con mayor éxito de la televisión española, ya que cada episodio lo ven aproximadamente 3 000 000 de personas. Hasta el momento se han producido más de 100 programas.

Carmen de Cos, directora de *Españoles en el mundo*, dice: «Nuestro programa tiene éxito porque hablamos de cómo es la vida en otros países desde el punto de vista de un grupo de españoles. Así aprendemos a nadar con tiburones blancos en Ciudad del Cabo, asistimos a la ópera en Viena, hacemos submarinismo en el cráter de un volcán en Santorini, sobrevolamos los templos milenarios de Angkor Wat en la jungla o asistimos a los preparativos de una boda camboyana, en la que los novios se cortan el pelo como símbolo de ruptura² con los pretendientes³ anteriores. Eso sí, antes probamos un delicioso aperitivo de tarántulas».

Para filmar este programa, solo son necesarias dos personas: el reportero y un cámara⁴, además del español que vive en el extranjero. Este ofrece un día de su vida a cambio de salir en el programa.

---

¹ **rodaje:** filmación ² **ruptura:** (aquí) separación ³ **pretendiente:** persona que quiere casarse con otra ⁴ **cámara:** persona que graba imágenes con una cámara de vídeo

Imágenes del programa *Españoles en el mundo*

Portada del libro de Albert Casals

pista 10

5. Jóvenes triunfadores

«Mañana podrías volar a la Antártida o saltar en paracaídas¹»
Albert Casals

L os jóvenes españoles de entre 16 y 30 años se han tenido que adaptar a unos tiempos de grandes cambios sociales y políticos que no siempre los han beneficiado. La crisis financiera internacional afectó, y afecta todavía, a una generación de españoles que ya vivían tiempos difíciles: los *mileuristas*, la generación de los «contratos basura», la de los «becarios precarios», la de *Españistán*...

Sin embargo, esta generación también ha vivido el cambio social y tecnológico más importante de las últimas décadas: el desarrollo de teléfonos móviles, ordenadores y otros dispositivos tecnológicos que han dado acceso a la comunicación a través de las redes sociales, canales importantísimos para expresarse.

Desde Facebook a Twitter pasando por Tuenti y otras plataformas digitales, los jóvenes parecen tener el dominio de las herramientas más poderosas de internet. Y, lo que es más importante, en tiempos en los que los gobiernos a menudo parecen ignorar sus necesidades, los jóvenes saben usar los medios de su generación para manifestarse: «Los chicos españoles desafían al poder político en Facebook y Twitter», decía un titular del diario argentino *La Gaceta* en mayo de 2011.

---

¹**paracaídas:** objeto de tela que se utiliza para saltar desde un avión y moderar la velocidad de la caída

Pero los jóvenes no solo protestan. Muchos de ellos, a pesar de vivir en una sociedad llena de desafíos[2] y obstáculos para desarrollar su carrera profesional, han buscado su propio camino, al margen de[3] crisis políticas y de movimientos colectivos en internet.

¿Cuáles son los valores que animan a un joven de hoy a empezar su propio proyecto? El portal *emprendedores.com* opina que «en realidad todos los jóvenes son capaces de llevar a cabo[4] cualquier proyecto. Pero es necesario ser resistente para destacar[5]. Hay que saber decir '¿El negocio no ha funcionado? No importa. Aprenderé de esta experiencia'».

Pero es la sociedad la que realmente debe fomentar la imaginación e iniciativa de los jóvenes. «Hoy en día nos enfrentamos con el insólito[6] protagonismo de los jóvenes y con su extraordinario poder», explicó el psiquiatra Rojas Marcos en una charla sobre los jóvenes en la ciudad. «Los jóvenes tienen un papel importante como actores sociales. Son ellos los que realmente deciden cómo percibir[7] e interpretar el mundo. En vez de censurar[8] este comportamiento, como hacen muchas sociedades, hay que promoverlo. Hay que celebrar a los jóvenes luchadores y creativos».

En España hay muchos jóvenes con iniciativas, proyectos y experiencias muy interesantes. Algunos de ellos son:

Albert Casals

Albert es un joven de Barcelona de 21 años. Cuando era pequeño, enfermó[9] de mononucleosis y después de leucemia. A los ocho años recibió un tratamiento para esta enfermedad, pero como consecuencia de este tratamiento, tiene que usar una silla de ruedas[10] para el resto de su vida. Albert ha asegurado en varias entrevistas con la prensa: «no sé si estar en una silla de ruedas

---

[2] **desafío:** (aquí) objetivo difícil de alcanzar [3] **al margen de:** independientemente de [4] **llevar a cabo:** hacer, completar [5] **destacar:** ser diferente, distinguirse [6] **insólito:** que causa sorpresa [7] **percibir:** (aquí) conocer [8] **censurar:** reprimir [9] **enfermar:** perder la salud [10] **silla de ruedas:** silla con dos grandes ruedas laterales para desplazar a una persona que no puede caminar

es una dificultad o una suerte[11]. No puedo andar, pero me curé de la leucemia».

Albert siempre quiso viajar. «Cuando acabé la E.S.O. viajé solo por primera vez. Hacía tiempo que quería hacerlo. No sé bien desde cuándo, pero tenía ganas de descubrir y de explorar, y una silla de ruedas no iba a impedírmelo[12]».

Albert disfrutó tanto de la experiencia que cuando acabó el bachillerato, hizo más viajes: primero por Europa y Asia, más tarde por América Latina. «Viajar en silla de ruedas es mucho más fácil de lo que la gente cree. Cuando haces autoestop[13], mucha gente se detiene[14] para ayudarte y llevarte a tu destino. La gente no se siente amenazada por una silla de ruedas y decide compartir su coche y su viaje contigo. Me encanta viajar así, solo, en mi silla y con mi mochila. Además, he conocido a gente increíble a través de mis viajes».

De hecho, Albert vivió tantas experiencias que decidió escribir sobre ellas y publicó dos libros de viajes: *El mundo sobre ruedas* y *Sin fronteras.*

«Albert es uno de esos jóvenes que sirven de inspiración» escribió el periodista Víctor M. Amela en el periódico *La Vanguardia*. «Estar a su lado, verle y escucharle, o leerle, te hace ser un poco mejor».

Y, ¿qué consejo tiene este viajero para los jóvenes de su generación? «Mañana podrías volar a la Antártida», dice Albert, «podrías saltar en paracaídas. Podrías batir el récord del beso más largo. Podrías dejar tu trabajo y a tu familia para ser un monje budista. Pero lo más seguro es que te levantes por la mañana para ir a trabajar. Que veas la tele por la tarde y te acuestes en la misma cama. ¿Es eso lo que te hace feliz? Es posible. Pero sin superar el miedo a lo desconocido, sin enfrentar la enorme libertad que todos tenemos en realidad, ¿cómo puedes estar seguro?».

---

[11] **suerte:** (aquí) hecho positivo, casualidad favorable [12] **impedir:** hacer imposible [13] **hacer autoestop:** viajar pidiendo transporte a los coches que pasan [14] **detenerse:** pararse

Andrea Motis y la Sant Andreu Jazz Band

Pau García-Milà

«España es el país de la queja[15]», afirma Pau García-Milà, un joven emprendedor, fundador de *eyeOS*, un proyecto de software libre. «Creo que no hay que quejarse tanto de la crisis. Hay que apostar[16] por la iniciativa propia».

Pau nació en 1987 y ya ha recibido varios premios por su trabajo. También ha generado mucha polémica entre los jóvenes. Una parte de su generación piensa que debería unirse a la causa y participar en protestas contra el gobierno. Otra parte aprueba y admira su carácter emprendedor.

Pero cuando Pau habla de su generación dice: «Los jóvenes vivimos en una época en la que no hemos sufrido, no hemos estado en ninguna guerra, lo hemos visto todo por la tele. Todos los crímenes que hemos visto han sido a través de YouTube. Mi generación es una generación cómoda[17], bien acostumbrada».

Pau no se une a ningún grupo de opinión y también critica al gobierno de su país: «En España la única persona que no tiene que saber inglés para tener un puesto importante es el presidente del Gobierno».

A los 20 años, Pau dejó los estudios y montó su propia empresa. No se lo dijo a sus padres. Hoy en día, su compañía tiene 35 trabajadores y está en 70 países y, a pesar de las dificultades que se ha encontrado para competir en un mundo laboral cada vez más difícil, el joven cree firmemente en sus compatriotas: «La solución a la crisis está en la gente. Si empezamos cosas pequeñas locales, terminarán conectándose y serán grandes».

Andrea Motis

Andrea Motis es una de las principales cantantes, trompetistas y saxofonistas del mundo del jazz en España. Nació en 1995 y empezó con el jazz a los 10 años, en una escuela de música de

---

[15] **queja:** (aquí) expresión de frustración, protesta [16] **apostar:** (aquí) poner la confianza
[17] **cómodo:** confortable

su barrio de Barcelona, Sant Andreu y, poco después, empezó a tocar con la famosa orquesta infantil Sant Andreu Jazz Band. Joan Chamorro, su profesor, buscaba una cantante y decidió probar a Andrea. «Cantó un *Basin Street* blues que me hizo pensar: aquí hay algo muy bonito», dijo el profesor. A los 14 años, Andrea grabó un disco con su profesor, titulado *Joan Chamorro presenta a Andrea Motis*.

«Hay gente que experimenta un boom a partir de un disco o un concierto. Yo, en cambio, he crecido poco a poco. Pero en vez de crecer leyendo en casa, por ejemplo, he aprendido sobre un escenario», dijo la cantante a los medios en la presentación de su primer trabajo. Andrea es una de las promesas[18] del panorama español de música de jazz.

Rafael Nadal

Rafa, como lo llaman su familia y sus seguidores[19], nació en 1986 en la isla española de Mallorca. Desde pequeño se destacó por sus habilidades deportivas: jugaba al fútbol, al tenis y al baloncesto.

Cuando Rafa tenía nueve años ganó su primera competición de tenis. Fuera de las competiciones, practicaba muchas horas al día para mejorar su estilo. Toni Nadal, su tío y entrenador, dice que «Rafa siempre ha sido muy disciplinado y obediente».

A los 15 años empezó a jugar en el circuito ATP con los mejores jugadores del mundo. En 2008, tras ganar a Roger Federer, llegó al puesto número 1 del ránking mundial.

Rafa no solo es famoso por su juego. Varios jugadores han hablado de sus cualidades como persona. «Nunca olvido que el tenis es solo un juego. No es importante para mí ganar a cualquier precio[20]», dice.

Cuando no participa en competiciones internacionales, Rafa disfruta de la vida tranquila de su ciudad, Manacor.

---

[18] **promesa:** (aquí) persona con cualidades especiales de la que se espera un gran futuro
[19] **seguidor:** (aquí) persona interesada en la carrera de alguien famoso, fan [20] **a cualquier precio:** sin importar las consecuencias

Rafael Nadal en acción

La actriz María León

pista 11

Mi motivación

Albert Casals, Pau García-Milà, Andrea Motis o Rafael Nadal no son los únicos jóvenes españoles que han triunfado o lo están haciendo en sus vidas personales o profesionales. Muchos jóvenes trabajan duro por conseguir destacar, a pesar de las circunstancias en su contra. Pero, ¿cuáles son sus motivaciones?

«Mi motivación para trabajar es aprender. Hoy en día hay muchos conflictos y la juventud tiene que tener ganas de vivir y superarlos, ganas de aprender de la vida». María León (Sevilla, 1984). Actriz. Ganadora del Premio Goya a la Mejor Actriz Revelación en 2012.

«No vivo esto como una competición para vender más discos sino que utilizo la música como modo de expresión». Pablo Alborán (Málaga, 1989). Músico. Nominado a tres premios Grammy latino.

«Me encanta escribir. Pero no me gusta cuando la gente habla mal de mí o de mi trabajo porque soy joven». Luna Miguel (Madrid, 1990). Escritora. Ganadora del premio literario Hermanos Argensola y autora de cuatro libros de poesía.

«Amo jugar al fútbol y esta pasión es mi mayor motivación». Iker Casillas (Madrid, 1981). Guardameta y capitán del Club de Fútbol del Real Madrid. Ganador de la Copa del Mundo en 2010 con la selección española de fútbol.

Notas culturales

Introducción
Mileurista: Trabajador que gana menos de 1 000 euros al mes.
Contratos basura: Contratos que ofrecen las ETT (Empresas de Trabajo Temporal). Son generalmente contratos cortos, sin futuro a largo plazo.

1. Los chicos españoles, entre los más felices del mundo
Familias monoparentales: Familia que está formada solo por el padre o la madre y los hijos.
ONGs: Organizaciones no Gubernamentales. Se tratan de organizaciones sin fines comerciales que se dedican por lo general a proyectos humanitarios, culturales o medioambientales.

2. ¿Cómo se divierten los jóvenes españoles?
INJUVE: Instituto de la Juventud. Organismo autónomo del Ministerio de Sanidad, Política Social e Igualdad. Se encarga de promover la participación de la juventud en la sociedad.
E.S.O.: Siglas correspondientes a Educación Secundaria Obligatoria. Abarca de los 12 a los 16 años y prepara a los alumnos para el Bachillerato o la Formación Profesional (estudios de secundaria no obligatorios).
Botellón: Reunión de personas, normalmente jóvenes, en la calle, para consumir bebidas y charlar.
Federación de Gremios de Editores de España: Conjunto de editores y asociaciones de editores profesionales.

3. Los indignados
Generación del ochocientos: Generación que gana 800 euros o menos de esa cantidad al mes.

Becarios precarios: Contratos para estudiantes que hacen prácticas en empresas (llamados «becarios»). Normalmente se trabajan muchas horas y no se recibe un sueldo.

Plan Bolonia: También llamado Proceso de Bolonia. Acuerdo firmado en 1999 por los ministros de educación de varios países de Europa. Pretende facilitar el intercambio de titulados y adaptar el contenido de estudios a la demanda del mercado profesional.

Agencia Tributaria: Organismo público del gobierno español. Administra el sistema de impuestos.

4. ¿Te irías al extranjero?

Erasmus: Programa de intercambio para estudiantes universitarios europeos.

Dictadura (española): Periodo gobernado por el dictador Francisco Franco y que duró desde el fin de la Guerra Civil Española en el 1939 hasta su muerte en el año 1975.

Guerra Civil Española: Enfrentamiento armado que comenzó en 1936 con la sublevación de una parte del ejército contra el régimen democrático de la Segunda República. En él lucharon el bando Nacional y el Republicano. Terminó en 1939 con la victoria de los Nacionales y el general Francisco Franco se convirtió en Jefe de Gobierno.

Unión Europea (UE): Comunidad política establecida en 1993, formada por 27 estados europeos, que promueve la integración continental. Los habitantes de la UE tienen permiso para trabajar en cualquier país de Europa.

TVE: Televisión Española. La cadena más antigua de España y uno de los canales más populares del país. Tiene emisión internacional.

5. Jóvenes triunfadores

Bachillerato: Período educativo de dos años al que se accede después de haber completado los cuatro años de E.S.O. y que permite el acceso a la universidad.

Glosario

Abreviaturas usadas:	*m.*: masculino (el/los)	*f.*: femenino (la/las)

ESPAÑOL	INGLÉS	FRANCÉS	ALEMÁN

Introducción

[1] **visión** *f.*	outlook	vision	Sichtweise
[2] **beneficiario/-a**	beneficiary	bénéficiaire	Nutznießer
[3] **burbuja económica** *f.*	economic bubble	bulle économique	wirtschaftliche Blase
[4] **problemática** *f.*	problems	problématique	Problematik
[5] **empleo** *m.*	work	travail	Arbeit
[6] **contrato basura** *m.*	junk contract	contrat précaire	schlechter Vertrag
[7] **red social de internet** *f.*	online social network	Réseau social en ligne	Social Network im Internet
[8] **multitudinario/-a**	multitudinous	de masse	groß, hier: Massenproteste
[9] **quedar**	meet	se rencontrer	sich treffen
[10] **recortar**	cut	couper	kürzen
[11] **presupuesto** *m.*	budget	budget	Budget
[12] **gestión** *f.*	administration	gestion	Management
[13] **indignado/-a**	furious	indigné	wütend
[14] **manifestarse**	to demonstrate	manifester	demonstrieren
[15] **acampar**	to camp	camper	kampieren
[16] **conseguir**	to obtain	obtenir	erringen
[17] **ayuda** *f.*	help	aide	Hilfe
[18] **desarrollar**	to further	développer	weiter treiben
[19] **luchar**	to work hard	travailler dur	schuften
[20] **superar**	to overcome	vaincre	überwinden

1. Los chicos españoles, entre los más felices del mundo

[1] **parecer**	to seem	sembler	scheinen
[2] **resultado** *m.*	result	résultat	Resultat
[3] **encuestado/-a**	person polled	personnes interrogées	befragt
[4] **nota** *f.*	grade	note	Note
[5] **castigar**	to ground	sanctionner	bestrafen
[6] **preocuparse**	to worry	se faire du souci	sich sorgen
[7] **medioambiente** *m.*	environment	environnement	Umwelt
[8] **guerra** *f.*	war	guerre	Krieg

ESPAÑOL	INGLÉS	FRANCÉS	ALEMÁN
9 **enfadarse**	to get angry	se fâcher	sich aufregen
10 **pelea** *f.*	argument	dispute	Streit
11 **bienestar material** *m.*	welfare	le bien-être	Wohl
12 **salud** *f.*	health	santé	Gesundheit
13 **riesgo** *m.*	risk	risque	Risiko
14 **vacunar**	to vaccinate	vacciner	impfen
15 **comportamiento** *m.*	behaviour	comportement	Verhalten, hier: Sexualverhalten
16 **acoso escolar** *m.*	bullying	harcèlement scolaire	Mobbing
17 **quinto/-a**	fifth	cinquième	der Fünfte
18 **prestar atención**	to pay attention	faire attention	Aufmerksamkeit schenken
19 **independizarse**	to go live on his/her own	s'autonomiser	von Zuhause ausziehen
20 **bondadoso/-a**	kind	gentil(le)	gütig
21 **inquieto/-a**	curious	curieux(se)	neugierig
22 **involucrar**	to involve	s'impliquer	einbeziehen
23 **invertir**	to invest	investir	investieren
24 **en absoluto**	at all	pas du tout	keineswegs
25 **recompensa** *f.*	reward	récompense	Belohnung
26 **competir**	to compete	se comparer	wetteifern
27 **paga semanal** *f.*	allowance	argent de poche	Taschengeld
28 **gasto** *m.*	expense	dépense	Ausgaben
29 **relacionado/-a**	to be related	être lié à	in Verbindung mit
30 **maltrato** *m.*	abuse	mauvais traitement	Misshandlung
31 **afortunadamente**	fortunately	heureusement	zum Glück
32 **marca** *f.*	brand	marque	Marke
33 **descubrir**	to discover	découvrir	entdecken
34 **reflejo** *m.*	a reflection	reflet	eine Spiegelung
35 **a pesar de**	in spite of	en dépis de	trotz
36 **pareja** *f.*	romantic partner	en couple	Partner, feste(r) Freund(in)
37 **imitar**	to imitate	imiter	nachahmen

ESPAÑOL	INGLÉS	FRANCÉS	ALEMÁN

El ocio: una fuente de felicidad

[1] **fuente** *f.*	source	source	Quelle
[2] **estado de ánimo** *m.*	mood	humeur	Laune
[3] **recurso** *m.*	expense	dépense	Mittel
[4] **día a día** *m.*	everyday life	le quotidien	Alltag
[5] **duradero/-a-**	lasting	durable	langfristig

2. ¿Cómo se divierten los jóvenes españoles?

[1] **a partir de**	from	à partir de	ab
[2] **prensa rosa** *f.*	gossip magazines and shows	presse à scandale	Boulevardmedien
[3] **índice de audiencia** *m.*	rating	L'audimat	Einschaltquote
[4] **vecino/-a**	neighbour	voisin	Nachbar
[5] **emitir**	to broadcast	passer (des programmes)	ausstrahlen
[6] **lamentablemente**	unfortunately	malheureusement	leider
[7] **colgar**	to upload	télécharger	hier: hochladen
[8] **salir por ahí**	to go out	sortir	ausgehen
[9] **charlar**	to talk	discuter	quatschen
[10] **clase obrera** *f.*	working class	classe ouvrière	Arbeiterklasse
[11] **juntar**	to put together	rassembler	zusammenstellen
[12] **al aire libre**	outdoors	dehors	an der frischen Luft
[13] **relacionarse**	to interact	interagir, échanger	(mit) in Kontakt kommen

España, país líder en descargas

[1] **descargar**	to download	télécharger	herunterladen
[2] **cotidiano/-a**	daily	quotidien	täglich
[3] **de hecho**	in fact	en fait	tatsächlich
[4] **convertirse**	to become	devenir	sich entwickeln zu
[5] **vetado/-a**	banned	banni	verboten
[6] **viable**	feasible	viable	hier: lohnend
[7] **bajarse pelis**	to download films	télecharger des films	Filme herunterladen

ESPAÑOL	INGLÉS	FRANCÉS	ALEMÁN

3. Los indignados

ESPAÑOL	INGLÉS	FRANCÉS	ALEMÁN
[1] **colegio mayor** m.	dormitory	cité universitaire	Studentenwohnheim
[2] **fuerte**	meaningful	important	bedeutungsvoll
[3] **malestar**	unease	mal-être	Unbehagen
[4] **injusticia** f.	injustice	injustice	Ungerechtigkeit
[5] **intuir**	to have a feeling	pressentir	spüren
[6] **asegurar**	to mantain	assurer	versichern
[7] **fallar**	to fail	décevoir	jemanden im Stich lassen
[8] **becario/-a**	intern	stagiaire	Praktikant
[9] **¡pásalo!**	pass it on!	fais passer !	Weitersagen!
[10] **duramente**	very hard	dur	schwer
[11] **a conciencia**	thoroughly	soigneusement	gründlich
[12] **apoyo** m.	support	appui	Unterstützung
[13] **dar a conocer**	to spread	diffuser, faire passer	verbreiten
[14] **convocar**	to summon	appeler (à manifester)	zusammenrufen
[15] **sindicato** m.	union	syndicat	Gewerkschaft
[16] **escuchar**	to listen	écouter	zuhören
[17] **exigir**	to demand	exiger	fordern
[18] **parado/-a**	unemployed person	chômeur	Arbeitsloser
[19] **recorte** m.	reduction	réduction	Kürzung
[20] **desahuciar**	to evict	expulser	hinauswerfen
[21] **hipoteca** f.	mortgage	prêt immobilier	Hypothek
[22] **popularizar**	to make popular	populariser	populär machen
[23] **precario/-a**	precarious	précaire	prekär
[24] **sufrir**	to suffer	souffrir	leiden unter
[25] **tasa** f.	percentage	pourcentage	Prozentsatz, hier: Arbeitslosenquote
[26] **paro** m.	unemployment	chômage	Arbeitslosigkeit
[27] **circular**	to go around	circuler	im Umlauf sein
[28] **orgulloso/-a**	proud	fier	stolz
[29] **animar**	to encourage	encourager	ermutigen
[30] **acaparar**	to hoard	dominer	einheimsen
[31] **indiferencia** f.	indifference	indifférence	Gleichgültigkeit
[32] **juez/a**	judge	juge	Richter
[33] **huelga** f.	strike	grève	Streik

ESPAÑOL	INGLÉS	FRANCÉS	ALEMÁN
34 marioneta *f.*	puppet	marionnette	Marionette
35 mal remunerado	badly paid	mal rémunéré	schlecht bezahlt
36 digno/-a	decent	digne	würdevoll
37 estar harto/-a	to be fed up	en avoir marre	satt haben
38 imponer	to impose	imposer	auferlegen
39 rumbo *m.*	direction	direction	Richtung
40 vigilancia *f.*	surveillance	surveillance	Bewachung
41 hashtag *m.*	hashtag	mot-clé	Stichwort, Hashtag
42 aguantar	to endure	supporter	aushalten
43 bajar la guardia	to relax	baisser la garde	sich entspannen

Ilustración del cómic Españistán (p. 36).

1 érase una vez	once upon a time	Il était une fois	es war einmal
2 reino *m.*	kingdom	royaume	Reich
3 convulso/-a	agitated	perturbé	verkrampft
4 a duras penas	hardly	durement	kaum
5 levantar cabeza	to overcome	relever la tête	überwinden
6 currito *m.*	little job	petit boulot	kleiner Job

Los mileuristas

1 tercio *m.*	third	troisième	der Dritte

4. ¿Te irías al extranjero?

1 acorde con	appropriate to	correspondant à	entsprechend
2 prestación social *f.*	social benefit	prestations sociales	Sozialleistungen
3 contrato fijo *m.*	open-ended contract	contrat fixe	fester Vertrag
4 negarse	to refuse	se refuser à	sich weigern
5 plantearse	to consider	considérer	in Erwägung ziehen
6 puesto *m.*	job	poste	Job
7 estar sobrecualificado/-a	to be overqualified	être surqualifié	überqualifiziert sein
8 no obstante	however	cependant	dennoch
9 derecho *m.*	right	droit	Recht
10 rodar	to film	tourner	drehen
11 asombrar	to amaze	surprendre	erstaunen
12 soler	to be in the habit of	avoir l'habitude de	pflegen, etwas zu tun
13 dispuesto/-a a	willing to	disposé à	bereit zu

ESPAÑOL	INGLÉS	FRANCÉS	ALEMÁN
[14] **deshacerse de**	to get rid of	se débarrasser de	jemanden loswerden
[15] **prescindible**	expendable	accessoire	entbehrlich
[16] **colectivo** *m.*	group	collectif	Gruppe
[17] **emprendedor/a**	entrepreneurial	entreprenariat	unternehmerisch
[18] **hacer valer**	to assert	faire valoir	geltend machen
[19] **por cuenta propia**	self-employed	être à son compte	selbständig, auf eigene Rechnung

Españoles en el mundo

[1] **rodaje** *m.*	filming	tournage	hier: Filmteam
[2] **ruptura** *f.*	breaking off	séparation	Bruch
[3] **pretendiente**	suitor	prétendant	Verehrer
[4] **cámara**	cameraman	caméraman	Kameramann

5. Jóvenes triunfadores

[1] **paracaídas** *m.*	parachute	parachute	Fallschirm
[2] **desafío** *m.*	challenge	défi	Herausforderung
[3] **al margen de**	regardless	indépendamment	trotz
[4] **llevar a cabo**	to achieve	réaliser	umsetzen
[5] **destacar**	to stand out	se distinguer	herausragen
[6] **insólito/-a**	unusual	inhabituel	ungewöhnlich
[7] **percibir**	perceive	percevoir	erfassen
[8] **censurar**	to censor	censurer	zensieren
[9] **enfermar**	to get ill	tomber malade	erkranken
[10] **silla de ruedas** *f.*	wheelchair	fauteuil roulant	Rollstuhl
[11] **suerte** *f.*	advantage	chance	Schicksal
[12] **impedir**	to stop	empêcher	hindern
[13] **hacer autoestop**	to hitchhike	faire de l'auto-stop	trampen
[14] **detenerse**	to stop	s'arrêter	anhalten
[15] **queja** *f.*	complaint	plainte	Gemecker
[16] **apostar**	to go for	miser sur	auf etwas setzen
[17] **cómodo/-a**	comfortable	comfortable	bequem
[18] **promesa** *f.*	hope	espoir	Hoffnung
[19] **seguidor/a**	fan	fan	Fan
[20] **a cualquier precio**	at any cost	à n'importe quel prix	um jeden Preis

actividades

ANTES DE LEER

1. Fíjate en estos aspectos de la vida de los jóvenes españoles. ¿Entiendes todas las palabras? Intenta relacionar dos actividades con cada una. Ten en cuenta que puede haber varias posibilidades.

La felicidad	El tiempo libre	El desempleo	La emigración	El éxito

-aprender otro idioma

-escuchar música

-tener muchos amigos

-usar internet

-buscar trabajo

-pasar tiempo con la familia

-protestar en la calle

-emigrar

-ganar premios

-ser famoso

2. Ahora vuelve a leer los temas, que corresponden a los títulos de los capítulos. ¿Qué cosas crees que se van a decir en estos capítulos? ¿Qué tema te parece más interesante y por qué? ¿Cuál te parece menos interesante y por qué?

3. Escoge una foto de los jóvenes españoles del libro. Por ejemplo, en las páginas 6, 14, 18, 26, 29, 32. Mira su ropa, sus accesorios, su peinado. ¿Se parecen a los jóvenes de tu país? ¿Por qué (no)? ¿Qué tienes en común y qué diferencias ves?

DURANTE LA LECTURA

Capítulo 1

4. ¿Por qué están los jóvenes españoles entre los más felices del mundo? Da tres razones y explica cuál es, para ti, la principal.

5. ¿Aparece tu país en la lista del estudio? ¿Qué lugar ocupa o crees que puede ocupar? ¿Por qué?

6. «Las relaciones sociales son lo más importante en la vida del joven». ¿Qué consecuencia tiene esto en las cualidades y la conducta de los jóvenes españoles, según el psiquiatra Luis Rojas Marcos? ¿Crees que es así en tu país?

Capítulo 2

7. Resume la propuesta de la *Ley Antibotellón* y explica en tus palabras por qué fue polémica. ¿Qué te parece esta ley?

8. Escucha en el CD las opiniones de empresas y jóvenes sobre las descargas ilegales de música y películas en España. ¿Con quién estás de acuerdo? ¿Por qué?

Capítulo 3

9. ¿Quiénes son los indignados? ¿A quién dirigen su protesta? ¿Estás de acuerdo con ellos? ¿Por qué?

10. Mira la ilustración de *Españistán* en la página 36. ¿A qué aspecto de la realidad española se refiere?

a) Al movimiento 15-M

b) A la crisis económica y los trabajos «precarios»

c) A la difusión de las protestas a través de la tecnología

¿Qué se dice sobre este aspecto en el capítulo?

Capítulo 4

11. ¿Por qué han emigrado los españoles a lo largo de la historia?

12. Marca en un mapa del mundo los países donde viven muchos españoles emigrados. ¿Por qué crees que han elegido esos países? ¿Qué tienen en común con España?

Capítulo 5

13. «Mi generación es una generación cómoda». ¿Por qué dice esto Pau García-Milà? ¿Piensas que es así en tu país?

14. ¿Cuál de los jóvenes del capítulo 5 te interesa más y por qué?

DESPUÉS DE LEER

15. Mira la tabla de la página 16 sobre los factores que influyen en la felicidad. ¿Qué cosas te hacen feliz a ti? Elige 3 de la lista en orden de importancia y añade 3 cosas nuevas. Luego, haz lo mismo con las cosas que te hacen infeliz.

16. ¿Qué situaciones difíciles enfrentan los jóvenes españoles actualmente? Intenta recordar 2. ¿Qué podrían hacer para mejorarlas?

17. ¿Te gustaría vivir en España? ¿Por qué? Escribe dos ventajas y dos desventajas de ser joven allí.

VÍDEO

18. Vas a ver una entrevista con Alicia, una chica de Madrid. Pero antes, ¿recuerdas qué se dice en el libro sobre estos temas? Apunta dos palabras importantes al lado de cada uno.

La familia

El tiempo

Las redes sociales

El 15-M

19. Mira el vídeo sin sonido y responde a estas preguntas.

a) ¿Qué lugares de la ciudad visita Alicia?

b) ¿Cómo es su habitación? Describe lo que ves.

20. Vuelve a ver el vídeo, esta vez con sonido. Después, responde a estas preguntas.

a) ¿Qué dice de su familia?

b) ¿Por qué estudia Derecho?

c) ¿Qué le gusta de Pedrezuela y qué le gusta de Madrid?

d) ¿Participó Alicia en el 15-M? ¿Por qué?

e) ¿Con qué frecuencia mira su perfil en las redes sociales de internet?

f) ¿Qué colecciona, y cómo empezó su colección?

21. ¿Es Alicia una chica española típica? ¿Por qué? ¿Se parece tu vida a la de Alicia? ¿Qué cosas tienes en común con ella?

LÉXICO

22. Completa este mapa conceptual:

descargar archivos
de internet

tecnología

23. Ahora crea dos mapas más sobre otros temas del libro, como «felicidad», «ocio», «emigrar», «éxito» u otro tema interesante para ti.

24. Ordena las letras de estas palabras relacionadas con el trabajo, con la ayuda de las definiciones (si no las recuerdas, puedes volver a leer los Capítulos 3 y 4):

dalemopesed .... : persona sin trabajo

lugeha .... : medida de presión de los trabajadores para conseguir algo

serutilima .... : joven que cobra mil euros o menos

rapo .... : desempleo

sodatnici .... : unión de trabajadores

INTERNET

25. Los jóvenes españoles utilizan la tecnología para difundir sus opiniones y organizar campañas. Piensa en una campaña para cambiar algo o difundir una situación. Elige un tema interesante para ti. Busca información en internet sobre el tema. Piensa en un título y un objetivo. Haz una lista de páginas de internet para darle difusión (por ej. foros de internet, Twitter, Tuenti, etc).

Algunas sugerencias:

El acoso escolar. Información en www.nolopermitasactua.com
Movimiento 15-M. Información en www.tomalaplaza.net

Notas